Perdue dans la neige

Jean Little

Illustrations de
Brian Deines

Texte français de Josée Leduc

Éditions
SCHOLASTIC

Pour Diane Kerner, une amie des lapins et des écrivains. — JL

*Pour Arielle et Lisa, avec un remerciement particulier à Dottie
qui est une vraie star! — BD*

Les peintures ont été réalisées à l'huile sur toile de lin.
Le texte a été composé avec la police de caractères Filosofia 22 points.

Catalogage avant publication de Bibliothèque et Archives Canada

Little, Jean, 1932-
[On a snowy night. Français]
Perdue dans la neige / Jean Little ; illustrations de Brian Deines ;
texte français de Josée Leduc.

Traduction de: On a snowy night.

ISBN 978-1-4431-1360-1

I. Deines, Brian II. Leduc, Josée, 1962- III. Titre. IV. Titre: On
a snowy night. Français

PS8523.I77O52314 2013   jC813'.54   C2013-901807-7

Édition publiée par les Éditions Scholastic,
604, rue King Ouest, Toronto (Ontario) M5V 1E1 CANADA.

6 5 4 3 2 1   Imprimé en Malaisie 108   13 14 15 16 17

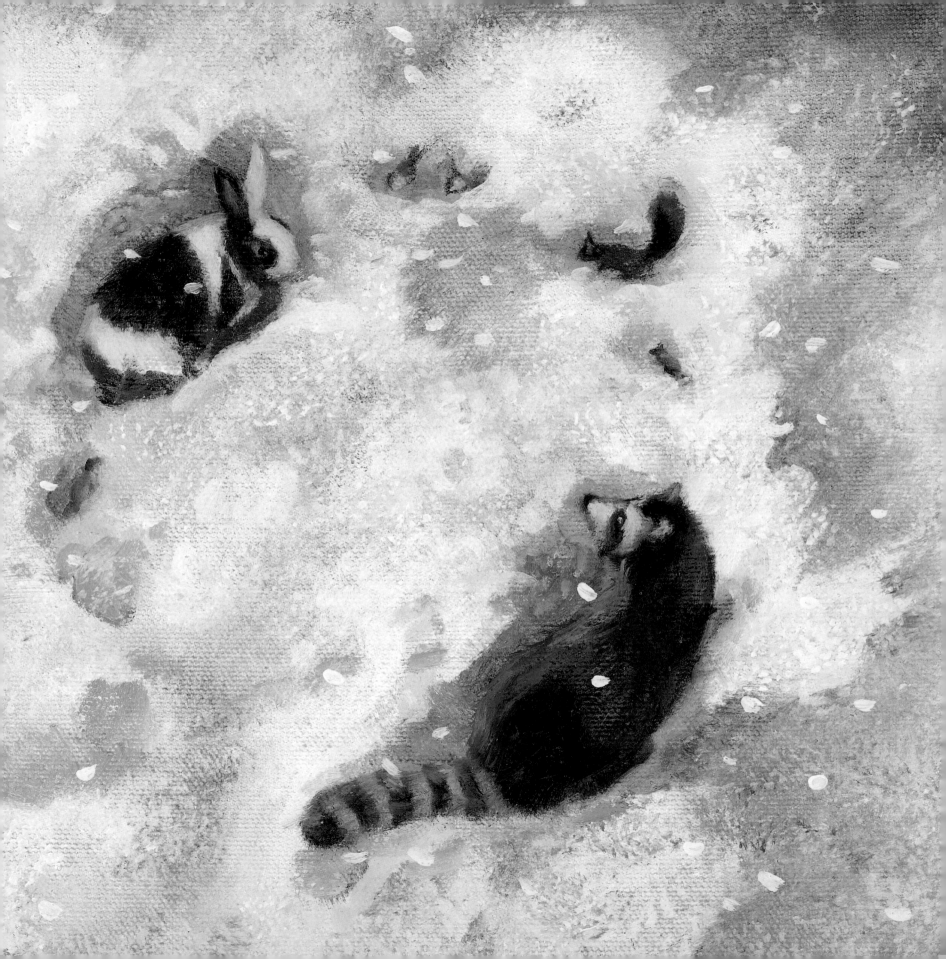

Rose la lapine a envie de mordre quelqu'un.

Lorsque Raphaël avait reçu Rose en cadeau pour son cinquième anniversaire, il s'était écrié : « Oh maman! Elle est absolument parfaite! »

Il l'avait flattée et lui avait donné des morceaux de carottes et de pommes du bout des doigts. Elle l'avait mordillé un peu, mais jamais elle ne l'avait mordu.

« Qui est-ce qui aime Rose? » lui demandait-il parfois. Puis il répondait aussitôt : « C'est moi! »

Et Rose la lapine était heureuse.

Mais depuis quelque temps, Rose est loin d'être heureuse. Raphaël a beaucoup grandi. Il est bien trop occupé à jouer avec ses amis pour prêter attention à un lapin.

Rose regarde la sœur de Raphaël qui montre l'arbre de Noël à son cochon d'Inde.

— Ce soir, nous allons suspendre nos bas de Noël, dit-elle. J'ai vraiment hâte! Je n'en peux plus d'attendre!

Rose n'a rien à attendre. Elle a faim. Elle se sent seule et elle est certaine que personne ne l'aime.

C'est alors que Raphaël entre en coup de vent.

— Hé! Rose! Il neige encore, c'est presque un blizzard! s'écrie-t-il.

— Rose ne se souvient probablement pas de ce qu'est la neige, réplique sa sœur.

Raphaël sort Rose de sa cage. Il la serre contre lui et l'emmène dehors, dans le crépuscule hivernal. Il la pose doucement par terre dans la neige fraîche.

— Que penses-tu de la neige, Rose? lui demande-t-il.

—Raphaël! Téléphone! crie sa mère juste à ce moment-là.

—J'arrive! répond-il en se précipitant vers la maison.

Rose attend… et attend le retour de Raphaël. Une bourrasque lui envoie de la neige dans les yeux.

Comme Raphaël ne revient pas, elle décide de suivre les traces dans la neige, mais il fait noir et elles ne sont plus visibles.

Elle est perdue… Perdue dans la neige!

—Gonfle tes plumes, dit une voix cristalline.

Rose regarde le petit oiseau.

—Je n'ai pas de plumes, répond-elle en claquant des dents.

—On peut t'aider peut-être, gazouille l'oiseau.

Une volée de mésanges à tête noire se pose sur son dos. Elles gonflent leurs plumes pour lui faire une couverture douillette et la protéger du vent cinglant.

L'une d'elles sautille entre ses oreilles toutes douces et lui demande si elle se sent mieux. Rose hoche la tête… mais elle tremble toujours.

— Regarde qui est là, pépie une autre mésange.

Rose lève la tête et fouille du regard les tourbillons de neige. Une créature à longue queue touffue apparaît et laisse tomber quelque chose juste devant elle.

Les mésanges gazouillent.

L'écureuil se place derrière Rose et la pousse légèrement. Rose fait un bond et sent quelque chose de moelleux sous ses pattes avant. Elle piétine pour y poser ses quatre pattes gelées.

Les mésanges perdent l'équilibre et s'envolent dans un bruissement d'ailes.

Rose reconnaît cette mitaine. C'est celle de Raphaël. Elle sourit presque en se recroquevillant dans la chaleur réconfortante de la laine.

— Merci, murmure-t-elle à l'écureuil.

Mais tout autour d'elle, la neige s'accumule.

— Je vais aller te chercher à manger, dit
une voix forte.

Un raton laveur se dandine en direction
d'une grande forme blanche, non loin
de là. Il grimpe dessus tant bien que mal
et revient avec une carotte. Il la dépose
devant Rose.

— C'était un nez, je crois, dit-il.

Rose croque dans la carotte. Jamais une carotte n'a eu aussi bon goût.

— Elle aime vraiment ça, se vante le raton laveur.

— On le voit bien, mon cher, rétorque une souris qui l'observe avec envie.

Rose sait ce que c'est que d'avoir le ventre creux. Assez souvent, Raphaël oublie de la nourrir. Alors, elle fait rouler le dernier petit morceau de carotte avec son museau et regarde la souris sauter dessus. Partager son repas avec la petite bête affamée lui fait presque oublier le froid.

Rose regarde tour à tour ses nouveaux amis.

— Je croyais que les animaux sauvages se mangeaient entre eux, dit-elle.

— Pas un soir comme celui-ci, dit une voix provenant d'une branche haute d'un arbre. Même les petites bêtes délicieuses comme toi sont en sécurité ce soir.

— C'est un faucon, pépie une mésange qui veut se donner un air courageux.

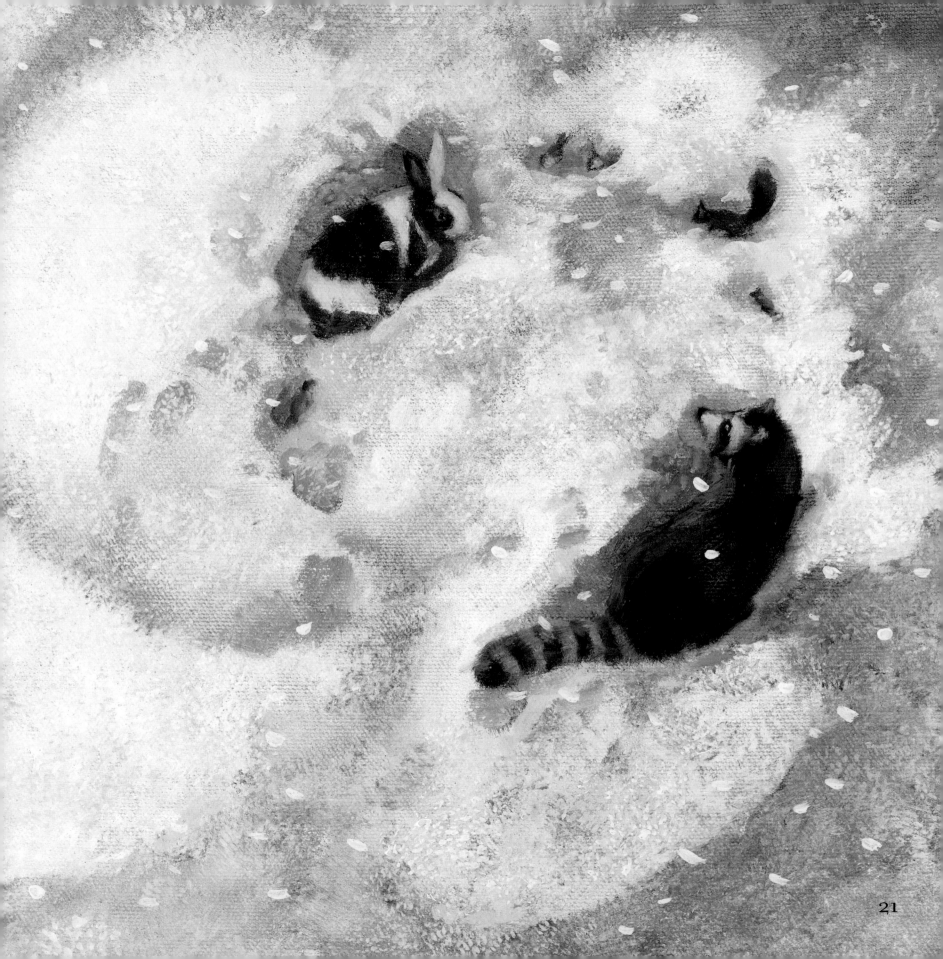

Rose lève les yeux vers les branches enneigées de l'arbre et se rappelle l'arbre de Noël dans la maison chaude. Puis elle entend quelqu'un l'appeler au loin.

— Je dois rentrer à la maison, dit-elle, sinon, mon maître aura des ennuis.

Elle fixe l'obscurité en tremblant.

— Mais je ne sais pas où est ma maison, ajoute-t-elle.

— Tu dois faire demi-tour. Je peux te guider, propose le faucon. Je sais où vit ton maître.

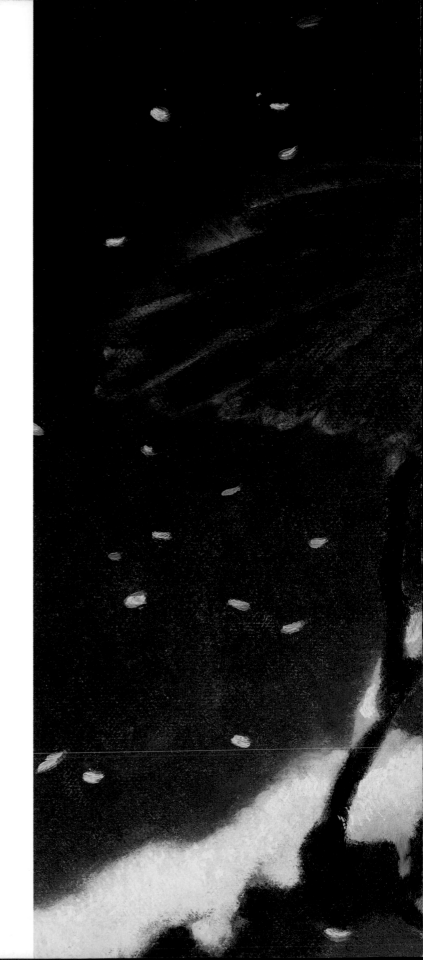

Rose essaie d'avancer, mais ses pattes sont raides malgré la chaleur de la mitaine. Et la neige est si profonde…

— Je suis prise dans la neige, gémit-elle.

— Allons donc! Tu peux bondir! dit la souris.

— Elle a raison, s'écrie le raton laveur, un peu de courage!

Rose se rappelle que Raphaël s'était écrié :
« Elle est absolument parfaite! »

« Je vais y arriver », se dit-elle. Elle saute
de toutes ses forces… et réussit à sortir du
banc de neige!

Le faucon plonge en piqué. Il la survole et
la guide, entraînant les autres à sa suite. En
un rien de temps, ils se retrouvent tous devant
la maison.

Raphaël en sort juste à ce moment-là pour aller à la recherche de Rose.

Elle le regarde, puis se tourne vers tous les animaux qui l'ont aidée lorsqu'elle était perdue et effrayée.

— Merci à vous tous, dit-elle.

Les uns déguerpissent, les autres s'envolent; elle bondit sur les marches du perron.

Raphaël l'aperçoit. Il la fixe un long moment. Il n'en croit pas ses yeux! Puis il se penche et la prend dans ses bras.

— Oh Rose! J'ai cru que je
t'avais perdue pour toujours
dans ce blizzard, gémit
Raphaël.

Elle pourrait le mordre
à ce moment-là, mais elle
n'en fait rien. Bien au chaud
dans ses bras, elle se blottit
contre lui. Il n'a pas besoin
de dire : « Qui est-ce qui
aime Rose la lapine? »

Elle le sait.